Fardoras

Fardoras

Michael Davitt

Cló Iar-Chonnachta
Indreabhán
Conamara

An Chéad Chló 2003

ISBN 1 902420 72 1

Dearadh: Kasper Zier, Angel Design

Tugann Bord na Leabhar Gaeilge
tacaíocht airgid do Chló Iar-Chonnachta

Faigheann Cló Iar-Chonnachta
cabhair airgid ón gComhairle Ealaíon

Clóchur: Cló Iar-Chonnachta, Indreabhán, Conamara
Teil.: 091-593307 **Facs:** 091-593362 **r-phost:** cic@iol.ie
Priontáil: ColourBooks, Baile Dúill, Baile Átha Cliath 13
Teil.: 01-8325812

Do Joe, Anna agus Sibéal
an cnuasach seo

Buíochas

Buíochas leo seo as lámh chúnta in am an ghátair:
Moira, Deirdre, Loretta, Eibhlín & Tony, Betty & muintir Shuibhne;

Liam Ó Muirthile, An tSiúr Consilio, Cathal Ó Searcaigh, Tom Byrne, Tony MacMahon, Irial & Maggie Mac Murchú, Tadhg Ó Maoileoin, Seán Mac Réamoinn, Proinsias Mac Aonghusa, Thomas Rain Crowe, James J. McAuley, Edward Tynan, Pat Boran, Micheál Ó Cearúil, Colm Breathnach, Theo Dorgan & Paula Meehan, Derry & Jean O'Sullivan, John & Hilary Wakeman, Mary Johnson & Patrick Galvin, Mildred Purwin, Breandán Mac Gearailt;

Aosdána, Éigse Éireann, Cló Iar-Chonnachta, Bord na Leabhar Gaeilge, An Chomhairle Ealaíon, Daonscoil na Mumhan, Pròiseact nan Ealan.

Leis an údar céanna

Gleann ar Ghleann (Sáirséal/Ó Marcaigh, 1981)
Bligeard Sráide (Coiscéim, 1983)
Rogha Dánta/Selected Poems (Raven Arts Press, 1987)
An Tost a Scagadh (Coiscéim, 1993)
Sruth na Maoile Duanaire Gàidhlig/Gaeilge, i gcomhar le hIain MacDhòmhnaill (Coiscéim/Canongate, 1993)
Scuais (Cló Iar-Chonnachta, 1998)
Freacnairc Mhearcair/The Oomph of Quicksilver (Cló Ollscoile Chorcaí, 2000)

Caiséad
Galar gan Náire (Cló Iar-Chonnachta, 1990)

Foilsíodh cuid dá bhfuil anseo istigh cheana sna foilseacháin seo a leanas: *An Aimsir Óg*, *THE SHOp*, *An Gob Saor* (A Cork Millennium Anthology), *Feasta*, *Comhar*, *Southword*, *Poetry Ireland Review*, *The Cúirt Journal*, *Out to Lunch*, *Side Show* (Chicago).

Clár na nDánta

Bólas

do Mhicheál Ua Ciarmhaic, Baile an Sceilg,
file, péintéir, fear farraige

A Mhaidhcí na mbád
is na ndán,
a dhraoi an chanbháis,
a astraishiúlaigh,
is mé ag druidiúint isteach féd scáil
lá órga Iúil cois Bhá na Scealg,
áit ná geobhadh físí
cead pleanála do bhrionglóid,

abair dá ndéanfá glúin a fheacadh
istigh i lár na *Holiday Homes*
in ómós don tsaíocht umhal
a fágadh le huacht i bhfuacht na gcloch,
an mó cluas a gheobhadh do ghlór creathánach
sé bliana déag is ceithre scór,
an mó doras bán PVC
a d'fhágfaí ar leathadh id choinne?

Tháinig Big Brother i réim sa ghleann so, leis,
gan faic ina cheann ach diabhail is deamhain,
mar a tháinig an sagart cruachroíoch fadó.
An bhfuil aon siolla seanaimseartha
ná luífidh a shúil mhillte air?
'If you spoke Irish here now
they'd laugh at you,'
arsa fear Mháistir Gaoithe liom.

Ar maidin shiúlaíos bóthar na haille
siar go Cill Rialaigh mar ar mhair
Seán Ua Conaill, scéalaí, tráth.
'Famine Village a thugaid anois air,'

arsa bean Chinn Aird liom agus fíoch ina caint.
'Saint! Saint ar fad inniu é.
Bhí daoine ina gcónaí sna tithe sin
agus mise óg. *Famine Village* mo thóin!'

Ach, a Mhaidhcí, ní chun olagóin
a thángas-sa ag triall inniu ort,
an liathadh atá curtha díot go seoigh
ina chalm óir agat is éanlaith na mara,
ag a bhfuil bua an síon a thuar,
ag guairdeall i gcónaí id shúil halmadóra.
Mór an mhaise an lá a thabhairt farat
i nGaeltacht an anama

gur cuma di cathuithe beaga
an fhir raice ar cuairt
is é ag cíoradh chósta tréigthe
an traidisiúin féachaint an bhfaigheadh
ábhar fardorais do dhán.
'Thugais an mhaidin i mBólas?
Deirtí ná deighidh éinne riamh
go Bólas gan dóchas rud d'fháil ann.'

Athchuairt ar Bhéal Átha, Dún Chaoin

Béal Átha
mór an t-áthas
síneadh siar id bhroinn,

binn binn comhriachtain
caisí slé'
le sú-mhuir.

Binne fós
frithing ingní toinne
thar charraig is chloich.

Ar chúl na súl
oilithreacht i bhfís:
an uile ní

á ní,
an uile chian
á chloí.

Leamhan

Croí fir ar ar thit leamhan leonta,
Leamhan a bhuail faoi lasair mhillteach
Oíche, d'fhág faonlag í ar leathsciathán,
Leath a plúr mílítheach ar a chroí maith lán.

Thug bheith istigh di faoi theas a ghéag,
Chuir beatha is deoch ina bráid, duilleoga
Bruasacha thart timpeall uirthi mar fhál
Gur fhill brí is lúth ar a leathsciathán

Is aoibh leacanta leamhanúil ar a gnúis.
Tháinig dá réir sciatháin ar chroí an fhir
Is eitilt ar a mheabhair. Crann ar chrann
D'eitil le chéile ríocht rinnfheifeach na leamhan.

Ach dúirt an leamhan go raibh guth ina ceann
Á gairm, is solas ina samhlaíocht á glaoch.
Maidin sarar bhéic an ghrian aníos thar sliabh
Phóg an fear is é faoi shuan is d'eitil léithi siar.

I ngarraí fiaileach chroí an fhir, mar a mbíodh
Mos a leamhanphlúir siúd, anois céachta
Soir siar ann go doimhin i bhfeoil, i bhféith
Is gaoth ghuairneáin ag feannadh a chréachta chré.

Dhein mí de sheachtain is bliain de ráithe.
Diaidh ar ndiaidh d'fhill brí is lúth ar an bhfear
Gur thug sciatháin a chroí faoi éirí ar eite arís
Go ndéanfadh athghabháil ar bhranar amh a shaoil.

Oíche Iúil dar thug an fear sa choill chraobhach,
I suan dó mhothaigh mar bheadh drúcht
Ag titim ar a ghrua. D'oscail leathshúil.
Idir é is léas gealaí leamhanbhean ghrástúil,

A cuid dlaoithe rinnbhuí anuas ar a ghnúis.
'D'fhill mé ort, a fhir chroí mhóir,
Ó ríocht an tsolais mar ar ghlac mé athchló.
Más é do mhian é fanfad i d'fhochair go deo.'

Do luigh an dís le chéile faoi chrann leamháin
Gur ghéill, gur chlaochlaigh, gur chumascaigh
A gcló araon ina n-aon fhíréan amháin,
Aon chomhdhúil faoi chumhdach leamhansciathán.

Spán

Relax Rejuvenate Rediscover Recapture
Ar nós *mafiosi* feolmhara i ngal na gcás
sealbhaímid ár spá-spás.
Búúús allais.
Fuarchith mar bhás obann.

Ag boilgearnaigh dom in íocuisce *jacuzzi*,
trasna uaim, aghaidh ar éigean a aithním,
aghaidh ná faca le tríocha bliain,
aghaidh a shamhlaím le faoileántacht chósta Chiarraí . . .
iníon mná tí a thug aíocht dom tráth . . .
cuilithíonn na híomhánna aníos ó naoi déag seachtó a dó:

> *Íorónta mo dhóthain*
> *go Clochán/Bréanainn a seoladh mé*
> *ag múineadh Gaoluinne do phobal*
> *gur thug a sinsir cúl le cine ní rófhada siar.*
> *Mná tí, a bhí ag beartú scoláirí samhraidh a thógaint,*
> *don gcuid is mó a bhí agam,*
> *beirt Shasanach a bhí pósta isteach*
> *agus Máire Breatnach ó Mhullach*
> *seanbhean sna hochtóidí ná raibh ina pluic ach Gaoluinn*
> *an chéad lá ar an mbunscoil di.*
> *Ar éigean má nocht focal dá teanga dhúchais*
> *as a béal ina dhiaidh san*
> *gur thosnaigh an cúrsa bunchomhrá oíche bháistí*
> *istigh idir dhá Superser sa halla pobail,*
> *an tseanscoil ar ar fhreastail sí fhéin tráth.*
> *Tar éis dhá oíche nó trí*
> *ba iad na nathanna is na seanscéalta ba thúisce a rith léi:*
> *an saighdiúir a thug na cosa leis*
> *as Cath Dhún an Óir agus a chuir*
> *buatais óir agus leathbhróg airgid i bpoll*
> *idir dhá chnoc, idir dhá abhainn,*

idir dhá chrann sceiche gile.
Ar maidin bhuailinn amach fé chladaigh na bhfaoileán
nó dheininn timpeall na seanreilige nó théinn ag rothaíocht
go barr na Conarach in airde i dtreo na bhflaitheas
nó síos isteach i nGleann Seanachoirp mar a bhfuil
loch gan tóin ceangailte le híochtar ifrinn thíos.
Thugainn na tráthnóntaí Tigh Pheig Néill
ar an gClochán ag diúl buidéal pínt nó dhó
is ag malartú scéalta le feirmeoirí caorach
is lucht dól na Máirte –
fastaím-ó, fastaím-ó, a Thaidhg Uí Laoire!
Ag caitheamh dairteanna lá d'fhiafraíos
cén leagan áitiúil a bhí acu ar mugs away!
'Mhuise mugs away! *a thugamar riamh air*
fiú agus Gaoluinn ag an gcomhluadar.'
'Cad fé caitheamh an amadáin! *a thabhairt feasta air?'*
Sin é a scríobhamar in airde ar chlár na scór
is d'fhan ann gan ghlanadh go ceann na mblianta,
i bhfad tar éis do chainteoir dúchais deireanach
an Leith Triúigh dul i gcré.

Braithim a leathshúil orm.
Fé mar a bheadh sí ag rá:
'I have you now,
Caitheamh an Amadáin!'
Is tá fonn orm fiafraí
cé hiad sa rang a fuair bás más eol di
nó an raibh aon bhunús leis an dtaibhreamh
a bhí oíche agam blianta ina dhiaidh san:
gur aimsigh Máire Breatnach an poll lá
is an bhuatais óir is an leathbhróg airgid a bhí curtha ann,
gur athchóirigh na hiarsmaí anama
ina seoda lómhara,
idir dhá chnoc,
idir dhá abhainn,
idir dhá chrann sceiche gile.

Dalta

i gcuimhne ar Phádraig Ó hIceadha
bunaitheoir Dhaonscoil na Mumhan

Is maith a d'oir 'Daonscoil' dod leithéid,
Scoil scairte d'aosaigh.
Thugais ithir mhéith Chuilinn Uí Chaoimh leat
Fé d'ionga is féd spága bróg
Soir ó dheas go Rinn Ua gCuanach
Samhradh i ndiaidh samhraidh
Chun seachtain daonscolaíochta.

Shamhlaíos le ré eile tú,
Blianta luatha na hAthbheochana;
Aimsir cheithearnaigh na cúise
A thug ualaí saíochta is léinn leo
Ar a gcapaill iarainn isteach thar
Chlathacha na mbailte fearainn,
D'fhonn craos na cosmhuintire

Chun foghlama a shásamh.
Níor cheist ghaelachais riamh agat í,
Ná ceist teangan ar fad fiú,
Ach ná ligfí lomchnámha
Na sinsear i ndearúd
Mar gur lom leat fhéin an mana
Gur treise dúchas ná oiliúint.

Seacláidí

i gcuimhne ar Thomás Tóibín, file

Cúpla lá i ndiaidh Nollaig na mBan agus fuadar na féile coscartha
buailimid amach ar a thuairisc go dtí an tigh altranais
is baile dhó le breis is bliain.
Ceannaíonn Liam bosca Quality Street ar an tslí.
'Ligimis dó fhéinig iad a dh'ithe an babhta so!' ar seisean,
ag cuimhneamh ar an slad a dheineamar beirt
ar na Milk Trays anuraidh.
N'fheadar arbh í ceimic ár gcaidrimh
nó ceimic na seacláidí a chuir ag canadh
an *'Marseillaise'* in ard ár ngutha sinn,
ach chuireamar gach aon chathaoir rotha
ag luascadh le haiteas an oíche sin
ag baint buaic éigin threibheach amach
i dtreo dheireadh *'The Boys of Fair Hill'.*
Aon rud ach tabhairt isteach don mbriseadh croí.

Treoraíonn an bhanaltra Fhilipíneach isteach sinn:
'Now Thomas, look who we've got for you,'
É ina shuí chun boird i gcomhluadar seanmhná
ná deir faic ach 'lá-dí-dá.'
Téim sa tseans. 'An aithníonn tú mé?'
Féachann orm mar a bheadh ag féachaint tharam,
a chroiceann fáiscithe isteach a thuilleadh ó anuraidh,
bobailíní de ribí neamhbhearrtha féna smig is féna shrón,
ach níor thréig rian na rógaireachta a shúile go fóill.
'Aithním do chrot.'

Teangacha na hEorpa, an mó ceann acu ar a thoil aige
b'ábhar cainte againn gur osclaíodh na seacláidí. Ba leor
'Bíodh ceann agaibh fhéin' chun tús a chur leis an gcibeal:
'Cath Chéim an Fhia', *'Chevaliers de la Table Ronde'*,
'I Wonder Who's Kissing Her Now' agus, gan dabht,
Christy Ring he hooked de ball

We hooked Christy ball an' all
Here's up 'em all said de Boys of Fair Hill
is bhailigh slua banaltraí Filipíneacha timpeall orainn ag sciotaíl
is nocht seandaoine fiosracha as cúinní chugainn
ina gcathaoireacha rotha is do chailleamar ár meabhair arís
sna cinn bhoga sú chraobh is na cinn chrua chnó
is na cinn go bhfuil milseacht do-inste ina gcroí
gur chuir Gaillimheach mná bailchríoch ar an ngnó
le leagan léaspairteach de *'The Banks of My Own Lovely Lee'.*

Leagtar béile feola, glasraí is prátaí brúite os a chomhair
anuas ar na páipéirí Quality Street.
Cad déarfam ag fágaint dúinn?
Níorbh fhear póg ná barróg riamh é,
den nglúin é ná tuigfeadh 'tá grá agam duit.'
Díreach fágaimid buidéal fíona ar an mbord
is éalaímid amach gan aon mhór is fiú.

Ar an gCuarbhóthar ó dheas iarbhlas ár gcuairte,
an mhilseacht do-inste sin
istigh fén gcroí.

Lacha & Gran

do mo thriúr deirféar
Deirdre, Loretta agus Eibhlín

Blianta sara raibh trácht
ar Dhaithí Lacha
thugas-sa seal im lacha.

Bhínn ag baile i gcró na gcearc
agus mo chosa scamallacha
ag lapadaíl sa láib.

Ní raibh aon ní i dtóin an ghairdín
a chuireadh ceann fé orm.
Uisce lem bhundún síos

fonóid na gcearc. Fiú an coileach
tiarnúil ní chúbfainn roimhe:
'Bhác off, ya langer!'

Dá fhuaire is dá fhliche iad na geimhríocha
bhínn ar mo sháimhín só
im phaistín tais féinig i gcúinne an chró,

nó ag taiscéalaíocht sa charn aoiligh,
nó ag timpeallú an ghairdín de rúid reatha
ar nós Ronnie Delaney.

Cnoc lách feola mná ab ea Gran.
An chéad samhradh dár tháinig sí
ar cuairt ó Shasana

dhearbhaigh láithreach
mo lachantacht, á rá:
'How's ma little duckie then?'

Lá cois farraige i mBaile Choitín,
agus mé d'iarraidh foch
a ghreamú im ghob,

ar sise: *'You leave that wassie*
alone now duck
or 'eel gum back an' sting you.'

Lá eile is í ag crochadh a pantalúin
ar an líne, ar sí: *'Ay up, duck.*
'Af a crown from Gran. Go bictures.'

As go brách liom ag bhácaeireacht
Cnoc an tSamhraidh síos chun an Choliseum,
gan barr cleite isteach

ná bun cleite amach,
ar thóir laoch mór lachan na linne,
Hopalong Cassidy.

Doirse

Sin Corcaigh agam le déanaí, dul ann, díreach, is teacht as.
Ach ag fágaint na cathrach arís dom tar éis geábh ó dheas
mheasas go dtiománfainn trí Bhaile na mBocht
go dtaispeánfainn duit an tigh inar tógadh mé.

Iona Park.
B'iad na tithe ab fhaide soir ó thuaidh ar fad iad
i naoi déag caoga a haon nuair a bhogamar isteach
sa bhungaló nuathógtha, mo chéad bhliain slán.
Tá cuimhne ghlé agam ar Mhicheál O'Hehir
ag craoladh chugainn craobh iomána na bliana caoga a sé.
Cé go raibh an lá leis na Carmanaigh
b'é Christy Ring Chorcaí an laoch.

Trentville.
Tá an ainm ar crochadh fós os cionn an phóirse,
plaisteach tréigthe na litreacha, scriúnna meirgeacha tríothu
isteach i gclár síonchaite. Ó Stoke-on-Trent ab ea mo mháthair.
Bhíodh a slí féin uaithi i gcúrsaí tís.
Thagadh m'athair abhaile tar éis an lá a thabhairt
ag tiomáint bus de chuid CIE
is dháil orainn a ndáileadh air fhéin is é ina gharsún,
riar den ghrá, riar den ghruaim.

Falla íseal agus gléas leamh air, aolgheal agus mé óg.
An geata iarainn ar leathadh. Cloigín an dorais as feidhm.
Cnag beag tnúthánach. Níl éinne romhainn.

Timpeall na binne go dtí an gairdín cúil.
Féar ar fad mar a mbíodh glasraí m'athar tráth,
is na spíonáin, sú talún, clós na gcearc.
Fear tuaithe a tógadh láimh le Mala,
shantaigh a lámha is a spága suirí na spáide leis an úir,

shantaigh a shúil tuadóra glanteascadh na mbloc.
Thugas mo leabhar breac go bhfaca Spuitnic
oíche réaltógach is mé suite im spásárthach féinig
sa chrann giúise ard ard os cionn an domhain.

Scaoilimid fé.
Soir fan an chósta go Port Láirge is ansan soir ó thuaidh i dtreo Bhré,
oráiste leictreonach na gréine á shlogadh
sna páirceanna méithe ar ár gcúl.

Láimh le hInis Córthaidh a tharla an brúchtadh aníos ionat:
nuair a dheinteá gaisce le péint,
in áit an fhocail mholta ní fhaighteá ach an focal géar
is go gcloiseann tú an nóta díbheirgeach sin anois im ghlór fhéin.
Éistím go croí-oscailte gan iarracht ar chomhairliú ná anailís
ná beagán a dhéanamh den bpian.
Is osclaíonn tú doras do bhaile sa tuaisceart
sna seascaidí déanacha is taispeánann tú dhom
cailín aonaránach á hurlacan fhéin ar chanbhás,
ag seiliú a cuid créacht thar n-ais sa phus ar an údarás.

Sa bhliain caoga a hocht bhain créacht díom fhéin:
is cuimhin liom na boscaí bheith á bpacáil,
is cuimhin liom na leapacha iarainn á lódáil isteach
i míol mór de leoraí Nat Ross,
is cuimhin liom an leoraí ag spágáil Iona Park síos
is sinn go léir ina dhiaidh i Humber dubh m'uncail,
is cuimhin liom muintir Dhochartaigh ag sméideadh inár ndiaidh
is an racht goil á bhrú fé chois agam,
is cuimhin liom doras an tí trí stór á oscailt
is bheith dom shlogadh i ndoircheacht an halla.
Bhraitheas mé fhéin dom shlogadh go ceann i bhfad ina dhiaidh sin
ag dán dubh éigin.

Fé Ghuaire bhí ár ndoirse araon ar dianleathadh
is cead siúil thar tairseach an ionathair isteach
i seomraí folmha ina malartaíonn na taibhsí
a gcuid goil is a gcuid gáirí de mhacalla ard,
gan de laochra ina measc
ach na daonnaithe beaga sceimhlithe a tháinig slán
is tá soilse Chill Mhantáin ár dtarrac chucu le fonn
is sinn ag stiúradh ár spásárthaigh ard ard os cionn an domhain.

Treabhsar m'Athar

N'fhaca ach aon chulaith Dhomhnaigh amháin ar m'athair riamh,
an ceann a deineadh do lá a phósta, í táilliúirthomhaiste
cearnógach uchtdúbailte scóipiúil dubh, fite fuaite

i bhfaisean na ré iarchogaidh; samhlaigh Trevor Howard
in *Brief Encounter*. Obair lae eile scéal an tseaicéid;
seo scéal an treabhsair, a bhí chomh leathan san go mbíodh

náire orm bualadh amach i dteannta mo Dhaid, go háirithe
nuair a tháinig na *drainpipes* isteach is ba chuma
le fear feasta go nochtfaí a chuid stocaí go poiblí.

Deireadh mo Dhaid gan do thrust go deo a chur in aon
draideachán a chaithfeadh stocaí bána nó go raibh a mhalaí
ag teacht le chéile os cionn a choincín, ach obair lae eile í sin.

Mar le treabhsar mo Dhaid, an ghné ba shuaithinsí dhe,
seachas a leithead cuirtín, a fhaid. Dheininn iontas den tslí
a luíodh ar chúl na mbróg sa tsiúl dó, is den sprionga san

a shamhlaíos i bhfolach ina cheathrúin a stoitheadh an filleadh
íochtair aníos de gheit díreach sara mbuailfeadh an talamh
ach gan rian de stoca a nochtadh. Is níorbh iontas na fithíní

bheith fé rath mar do chonac oíche é á chur isteach fé thocht
a leapan idir dhá leathanach den *Echo*. Tar éis dó seachtain
a thabhairt ag codailt air bheadh rian na spriongaí le feiscint

ar leathchois de, ach na fithíní i gcónaí chomh géar le scian
na feola, ag soláthar comhthéacs seach-churaclaim don *bhuzz*-
fhocal nua, 'comhthreomhar'. Fén am go rabhas-sa in aois

mo chóineartaithe agus treabhsar fada orm fhéin ó
Mhannix & Culhane, go gcuireadh an mianach garbh ann
oighear ar mo cheathrúintí, bhí loinnir na seanaoise ag teacht

ar chulaith mo Dhaid, í ag liathadh, ag cromadh, ag titim chun
boilg is chun glúine, ach do shochraidí is aifreanntaí fós
do dheineadh an bheart. An seaicéad ba thúisce a caitheadh

amach tar éis dá uillinn dul tríd. Chonac mo mháthair
ag iompó na súl in airde agus é á thabhairt uaidh mar leaba
don mhadra tar éis fiche bliain, geall leis, de chaitheamh.

Má cheannaigh sé seaicéad spóirt aon-uchtach nua
is má bronnadh péire slaiceanna air dá bhreithlá bhí seal eile
ag treabhsar mo Dhaid sa ghairdín, nó ag péinteáil, nó ag

gearradh an fháil. Ní cuimhin liom ciacu ar leáigh sé dhe
sa deireadh mar a leáfadh ceann de mhálaí aráin
Thompson's fén mbáisteach, nó ar steagaráil amach

an cúldoras oíche as a stuaim fhéin is gur eitil leis
in airde go dtí reilig na seana-threabhsar san imigéin.
Ag siúl Sráid Grafton dom, ré seo na saoirse is an rachmais,

tugaim fé ndeara gurb é faisean an lae inniu
do bhríste bheith chomh fada san go luíonn a bhun
ar an dtalamh isteach fé sháil do bhróige is gur cuma

é bheith á pholladh ná á stracadh sa tsiúl. An lánúin óg
Bleácliathach romham, gur dhóigh leat ar a gcuid Béarla
gur Meiriceánaigh iad, seans go raghadh dian orthu

tuin tuaithe m'athar a thuiscint dá bhfillfeadh ó mhairbh.
Shamhlóinn nár chás leis an teanntás, an spleodar, ná
na póganna sráide san áit go mbíodh an náire is an chos

ar bolg, ach gurbh fhada leis an saol sceabhach seo
ón saol comhthreomhar úd ina mbainfeá fiche bliain
as treabhsar, is faid do shaoil as pósadh éidreorach.

Próiseas

do S. E. Ó Cearbhaill

Déarfaí inniu go raibh an Bráthair Ó Muirí glan
as a mheabhair ach toisc é bheith ina uachtarán ar an 'Mon'
ní tógtaí puinn ceann dó nuair a phléascadh isteach sa rang,
hata glas de chuid na nÓglach ar a cheann agus seanraidhfil
meirgeach ar a ghualainn. Níor mhór seasamh láithreach,
cuma cén ceacht a bhí ar bun nó cén múinteoir a bhí roimhe.
Tar éis dó an gunna a ísliú chun urláir bhíodh na súile
seabhaic ar bior féna mhalaí fada scolbacha: 'Suígí.'
Bheadh tuairim mhaith againn gur dhóichí gur mheitheal
a bhí uaidh chun deascanna nó cathaoireacha a bhogadh
nó chun an halla mór a réiteach do chuairteoir, bean rialta
ón Afraic, b'fhéidir, nó comhairleoir gairmthreorach.

'Are there ten Men here that will die with me for Ireland?'
Chuaigh mo lámh nó mo dhá lámh in airde láithreach le súil
go mbeinn i measc na bhFear a roghnófaí chun fónamh
ar son na hÉireann, nó bás a fháil ar a son, fiú, ar nós
Kevin Barry. Bhí a aghaidh mhánla san ar an bhfalla
amuigh sa phasáiste láimh le laochra Chorn an Artaigh,
Jack Lynch, Con Murphy agus foirne thús an chéid
anuas trí's na tríochaidí is na daichidí. Chruthaigh
seanphróiseas réalaithe na bpriontaí loinnir timpeall orthu
mar naomhluain. Bhaineadar le hÉirinn dhubh is bhán,
an Éire a bhí tosnaithe á nochtadh féin dúinn sna sean-
nuachtscannáin, í éirithe dá glúine chun a hanam a shlánú.

Tar éis don Bhráthair gairmthreorach a rá linn bheith
ag éisteacht leis an nguth ciúin stuama istigh inár gcroí,
ní raibh aon amhras orm ná go raibh an *vocation* agam,
glaoch ón Slánaitheoir É fhéin. D'airíos A bheola ag bogadh
agus É tairneálta de chrois mhór adhmaid os cionn an chláir
dhuibh: 'Lean amach ar na sráideanna Mé, amach ar na bánta,
lean Mé sna ceithre hairde go scaipfimid an dea-scéal,

go bhfuil grá an Athar linn gach neomat den lá go deo na ndeor.'
Chuala an guth agus mé ag siúl anuas Cnoc an Aonaigh
tar éis babhta traenála leis an bhfoireann iomána fé 14.
Chuala in Eaglais Naomh Pádraig é agus an abhlann naofa
ag leá ar mo theanga. Shamhlaíos mé fhéin i m'Éamonn Iognáid
Rís, lasracha dóchais ag bladhmadh as mo láimh,
mé ag fóirithint ar na bochtáin, ag craobhscaoileadh
theachtaireacht na saoirse is an fhéinmheasa.

Sochraid stáit Kevin Barry agus naonúr eile Mhoinseo,
tráthnóna inniu, an ceathrú lá déag de Dheireadh Fómhair,
dhá mhíle is a haon, a thug bliain a dó sa Mhainistir Thuaidh
chun cuimhne dhom arís. Nochtann chugam an seanphróiseas
réalaithe trína mothaím athuair greann na laethanta san,
luachanna na dílseachta is an mhórtais chine nár thréig ar fad
riamh mé. Is cé nár chuas sna Bráithre, is dócha gur
fhreagraíos don ghuth ciúin stuama im shlí ghuagach fhéin
agus is mó ná mór agam go rabhas sa ghasra deichniúir
a roghnaigh an Bráthair Ó Muirí le seasamh sa bhearna bhaoil
chun bás a fháil ar son na hÉireann.

Yeah!

In uachtar an tseana-thí ar an ard
os cionn Chathair Chorcaí
cloisim doras thíos staighre

ag plabadh i naoi déag fiche a dó
agus Sráid Phádraig ina lasracha,
an doras trom céanna a phlabadh

nuair dob é seo mo bhaile,
tráth gurbh é an seana-ghléas raidió
Pye an mhíorúilt teicneolaíochta

ba mhó fós sa tigh,
é in airde ar choróin mhahagaine
sa tseomra suí ina

Rí ar na haerthonnta,
sreanganna ceangailte dhó
isteach i gcallairí sa chistin

mar a gcualamar ar dtúis *'An Poc*
ar Buile', 'The Times They Are
a Changin', agus an ceann go raibh

Yeah, Yeah, Yeah ann,
'an assault on common decency,'
dar le hAuntie Babe.

Ón bpláśóg ar Chnoc Riseamain
rianaím mo chúrsa laethúil
ar an Mainistir Thuaidh

síos le fána mar a mbíodh Denny's
is cloisim screadanna dólásacha na muc
á sá le linn ceachtanna ailgéabair

nó le linn dáin le Seán Ó Ríordáin. *Yeah,*
bhí boladh masmasach bagúin sa tseomra
ranga agus a mháthair á cur san uaigh.

Dúnaim mo shúile in Inis Cara:
urnaí na seana-Laoi
mar a chuala Fionnbarra í,

is ina dhiaidh Seán, nár naomh ná laoch,
ach daonnaí dílis a d'fhoghlaim an fhéinghráin
ina bhuachaill ó chomhluadar nár dhein

a mianach sainiúil fhéin a cheiliúradh.
Yeah, cloisim a phaidir eitinneach sna dánta,
a ghuth gortaithe caitliceach.

Seasaim ar bharr aille i mBéarra
maidin aerach eile is an fharraige
ag líonadh pluaise de ráig milliún bliain

ó shin, mar a dhein i naoi déag caoga a cúig,
laethanta uachtair reoite ar cuairt.
Yeah, bhíos anso aimsir na gcluas.

Ach bhí an scéal ag dul thart
go raibh gléas teilifíse beo
i bhfuinneog Lockwood's i Sráid an Droichid

agus go bhféadfá féachaint uirthi
tríd an ngloine i ndiaidh Chlog an Aingil
ar a sé. *Yeah*, sheasainn sa bhfuacht

ag tabhairt lán na súl dos na híomhánna
doiléire gan fhuaim, iascaire ag faire
íor na spéire in aimsir Bhréanainn,

ag samhlú cad a bhí Bat Masterson a rá
leis an leámharaic a bhí ag sá gunna
i bpoll a chluaise. Tháinig an lá

gur díshealbhaíodh an Rí
is tháinig Banríon dhubh is bhán
i gcoróin sa tseomra suí.

Ba dhóbair dúinn úll
na brád a shlogadh
is sinn ag feacadh

roimh an míorúilt nua.
Yeah, bhíos anso, leis,
aimsir na súl.

An Nóta Fada Ard

i gcuimhne ar Sheán P. Ó Cearbhaill

Nuair a d'iarr an sagart orainn na mairbh
a thabhairt chun cuimhne thosnaigh a gcuid
súl ag preabadh aníos ionam mar liathróidí

Lató, ina measc Seán, Seán P., Seán P. Ó
Cearbhaill a bhí imithe as raon mo chuimhne
ó shlog an tAtlantach é ar thrá an Spidéil . . .

Ina mhac léinn lánfhásta go raibh roinnt blianta
tugtha aige sna Bráithre agus seal san Afraic Theas
a tháinig Seán go Coláiste Ollscoile Chorcaí

i bhfómhar na bliana seasca a naoi. Cuimhním
ar an mianach oirirc sin ina aghaidh, a *chravat*
neamhfhaiseanta, a phíp dhíograiseach, a mhála

tromchúiseach leathair á luascadh aige trasna an *Quad*.
B'in ré an *real thing*, Hendrix, An Riadach, Gaoluinn
Dhún Chaoin is níorbh fhiú tráithnín aon amhránaí

nárbh é Ó hÉanaí, Ó Catháin nó de hÓra é is gheofá
taibléidín beag gan strus ar phunt a chuirfeadh
ar bhus go Mars tú *via* Crosaire an Diolúnaigh.

Le linn Oíche Ghaelach éigin a nocht Seán dúinn
a ghuth cinn. 'Cá rabhais ar feadh an lae uainn,
a bhuachaillín ó . . . ' Teanór parlúis,

i bhfearas, i dtiúin, iomlán as áit san aeráid úd.
'Soprano fir!' arsa fear scige. Ansan gan choinne,
an nóta fada ard a chuir an comhluadar ina thost:

'ag fiach 's a' foghlae . . . .'
ag éamh aníos as ball íogair éigin,
ag éileamh . . . éisteachta . . . fiafraí . . . ómóis,

á rá seo mo chroí bocht, glac nó fág,
nóta fada ard a d'iompaigh tuiscintí ar nósmhaireacht
na fearúlachta bun os cionn go brách.

Ar aifreann dom ar maidin tá m'aire gonta ag nóta Sheáin,
ag sianaíl arís trí fhuinneog na cuimhne, ag tabhairt
mo dhúshláin mar a dhein aimsir an Choláiste

is i mbothán Liza ar an gCeathrúin Nollaig shúgach
is i dtigh ar cíos i gCluain Dolcáin sa bhliain seachtó a trí,
leanbh ar a cích ag a bhean, Eibhlín,

is don uair dheiridh i seachtó a naoi cois tine móna i gCamus.
Nóta gan tús gan lár gan deireadh gan ghothaí faisin
ar snámh in aghaidh tonntracha bróin, á tharrac

chun na mara móire amach thar raon tarrthála,
a scamhóga leochaileacha ar tí tabhairt isteach
don duibheagán á rá: 'Cóirigh mo leaba, táim breoite go leor.'

Beltenotte

i gcuimhne ar chara dílis a báthadh sa Laoi
† 1998

Fuaireamar ainm ar deireadh dhó, 'Beltenotte'.
Sé seachtaine brothaill agus seachtain síorfhearthainne
sna sála orthu nuair ba mhó a theastaigh
a chuir an borradh ar fad fé.
Tar éis é a stathadh chuiris á thriomú é
fé shoilse infridhearga i lochta i Montenotte,
an haisis ina cac dubh ag úscadh as na gasanna ramhra.

B'iad na soilse, dar leat, a chuir an *'belt'* ann –
cúpla gal nó trí dhó is mara mbraithfeá an buille láithreach
bhí iomard éigin saolta ort.
B'é do mhaíomh gurbh é an féar ba chumhachtaí is ba dhúchasaí
a fásadh riamh cois Laoi é:

chuirfeadh fonn caide ar mháthairab
fonn leathair ar chreatlach
fonn urnaí ar aturnae

dhéanfadh den nath ba neafaisí oll-léaspairt
dhéanfadh capaill Mhanannáin de chúr do chuid fuail
dhéanfadh James Taylor de liairne trí chorda
dhéanfadh ór de ghallúnach
dhéanfadh den lá ba chiotrúnta lá fiúntach
dhéanfadh mílaois de chlaonfhéachaint trí fhuinneog amach
ar shimnéithe na monarchan fan na Laoi soir
ag easanálú na rún isteach i stair na spéire

B'in naoi déag seachtó a haon:
milliún míle ó thuaidh bhí na Sé Chontae trí thine,
d'adaigh an splanc aduaidh ár gcroíthe tinteánacha ó dheas
is dhein reibiliúnaithe sráide dínn:
'Dún Dáil Éireann! Oscail Scoil Dhún Chaoin!'

Is b'é an Beltenotte ár dtinfeadh,
tobar gan tóin filíochta,
fuascailteoir féidearthachtaí na samhlaíochta,
néalíditheoir,
rachtmhéadar.

D'fhásamar as.
Chuaigh an réabhlóid le gaoith.
D'aimsíomar riar den tsaoirse ar deireadh trí aghaidh a thabhairt
ar an rud ionainn fhéin go rabhamar ag teitheadh uaidh.
Níor ghá gal.

Ach tugaim an Beltenotte chun cuimhne inniu lá gréine
i reilig Ráth Chuanaigh ar imeallbhordaibh Chorcaí,
is tugaim chun cuimhne do scil
i ngreamú an dá pháipéar Rizla dá chéile,
pinsín nó dhó den bharra glas a rolladh iontu,
soláthar beag den ghnáth-thobac tríd.

Beag a chuimhníomar riamh, a dhuine na gcarad,
go raghadh gailín shoineanta na réabhlóide leat
go cacghrinneall na Laoi.

Cúinní

do Liam Ó Muirthile

Ealaín ar leith ab ea
bheith id *Chorner Boy*:
cumasc den mhéirleach,
den séipeálaí,
den oirfideach sráide,
den íolbhristeoir,
den bhfairtheoir,
den ghigealó,
den teifeach a fuair bheith istigh
sa chomharsanacht ar choinníoll
ná leagfadh lámh ar aon iníon
de chuid na gcomharsan.

Níor mhór gruaig chiardhubh
slíoctha siar
fé smearadh fial íle
is cíor dhubh dá réir,
príomhuirlis na ceirde:
í a stathadh go húdarásach
as do sheaicéad leathair
is bheadh an ghluaiseacht
ó phóca go cúl muiníl
glan amach as
radharc de chuid
Nureyev nó James Dean.

Dhá shúil bhioracha bhric
chun tosaigh
súilín x-ghathach
i gcúl do chinn
is mar le sochtheangeolaíocht
bheith in ann polla teileagrafa
a bhualadh de spleait

le caor thintrí
de sheile ramhar bhuí.
'Me?
You lookin' at me?
Be doggy wide, like!'
Cumas chun Woodbine
a lasadh lá gaoithe
den chéad iarracht
gan teip
is steip bheag rince
chun dlús a chur le pointe
tábhachtach anailíse ar mhodhanna siúil
is tréithe corpartha na sibhialtach
go háirithe iadsan
fé sciortaíní teanna.

Bheith in ann súlach deiridh
an Woodbine a shú
idir dhá mhéar chróndeataithe
agus ordóg
gan do liopa a dhó.
Ansan flic bheag ghlic
thar gheata gairdín
nó amach i gcoinne rothaí
a bheadh ag peidileáil thar bráid.

~ ~ ~

Agus an lá ag dul in anfacht
tugaimid dúshlán
bhóithríní an Oirdheiscirt
fé luas . . .
idir Cill Anna is Muileann a' Bhata
An Bhearbha ag at fé scaoll,
crainn á bhfeannadh
ag gaoth fheannaideach,
MacMahon is McKenna
ag stracadh tríd
an *'Siege of Guingamp'* ar CD.
'Ar mo leabhar breac
seo an tarna babhta againn
i gCnoc an Tóchair!'
'Más ea, cén díobháil!
D'fhéadfadh aon stail amadáin
dul ó A go B, a bhuachaill,
ealaín dul ar strae!'

Más ea
teanntaímid bean
feirmeora i sean-Toyota Corolla
ag crosaire sceirdiúil,
a taispeántóir deas
ag imeacht ar dalladh,
bean faire,
bean nár fhág a súilín thomhaiste
ina diaidh sa Halla Rince
an oíche a tháinig Mick Delahunty
is a bhanna
ar cuairt sna caogaidí,
griogaire mná
a bhainfeadh na cúinní
de bheirt *Chorner Boy*
mheánaosta
ar rothaí.

An tslí ríonúil
a bhreacann sí
eolas na slí
ar chúl clúdaigh litreach
mar a bheadh dochtúir
ag breacadh oidis.

N'fheadaraís ná gurbh í
bean ár leasa í

is gurbh in é
a draíocht.

An Ceannasaí

i gcuimhne ar Dhónall Ó Móráin

Ba chuma cén t-am den mhaidin a bhainfeá t'oifig amach
bheadh sé istigh romhat ina oifig fhairsing fhéin.
Cúig chun a hocht agus chífeá a scáil trí bhearna sna dallóga,
é ar an bhfón, nó ag gearradh píosaí amach as luatheagráin
na nuachtán. Chuirfí fótachóip d'alt chugat níos déanaí
agus 'labhair liom faoi seo' scríofa air le maircéar dearg.
Fear é go bhféadfá labhairt leis, nuair nach mbeadh an iomarca
coilg air, mar laistíos den straois údarásach bhí croí san áit cheart.
Fear seoigh amháin a thug An *Führ*athóir air mar gheall
ar an gcroiméal beag cearnógach a bhí air sna caogaidí
tráth a thionscnaigh sé iliomad 'scéimeanna náisiúnta' ar scillingí
a bailítí ag na doirse: scoláireachtaí Gaeltachta, ceirníní
agus nuachtscannáin. Bhíos fós im dhalta bunscoile
nuair a phlódamar isteach sa Lee Cinema chun féachaint
ar scannán stairiúil éigin darb ainm *Mise Éire*. D'fhágamar
an phictiúrlann inár réabhlóidithe, ár gcroíthe sráide
smiotaithe ag ceol an Riadaigh.

'Féidearthachtaí', 'státchóras', 'cur chuige', 'ceannródaíocht',
teanga nua a chuala uaidh agus níor bhinn liom ar dtúis í le hais
shean-nathanna Chorca Dhuibhne agus chiútaí na nuafhilíochta
a bhí ag brúchtadh im chliabhrach nuair a cheap sé im bhainisteoir mé
i lár na seachtóidí. Ach ba ghearr go dtuigfinn a luach is a mbrí
is mé dom bhá i gcultúr nua riaracháin a bhí bunaithe ar dhá
bhunphrionsabal, dianobair leanúnach mar aon le dóthain dianspraoi.
Is fíodh bréidín úrnua náisiúnta faoina cheannasaíocht,
snáth na seanaislinge tríd is snáth an ghnáthshaoil,
hallaí ag broidearnach le *lingo* an bhiongó, *Rolling Thunder Review*
a d'aidhin tine na cruthaitheachta is na féinmhuiníne i measc na n-óg,
oisrí a bheadh ag clann na nGael feasta seachas fíogaigh is ruacain
abhann. Is d'ólamar Loch nEathach ó thuaidh, Cuan an Fhir Mhóir thiar,
Bá na Scealg ó dheas, is Cuan Dhún Laoghaire thoir.

Maidin mhoch dár bhaineas an oifig amach tháinig glaoch uaidh
á rá liom teacht anuas láithreach. Bhí póit air tar éis babhta óil.
D'iarr orm é thabhairt síos ar an tsráid agus é chaitheamh
amach faoin gcéad bhus 46A a thiocfadh an treo!

Cuimhním ar an tslí a d'fhuaimnigh sé an Á,
faoi mar nach ndéanfadh aon bhus eile an gnó.

Gach Íosa dá Ainnise

do Sheán Mac Réamoinn
ar scoitheadh na gceithre scór dó

Críost so Eaglais Naomh Fearghail
ní hé an mainicín mín é,
ná an mairtíreach glórmhar,
ná Mac Dé ag aisteoireacht.

Seo Críost an t-ainniseoir
a bhí ag titim chun feola
is chun lomfhírinne na beatha
daonna a scarúint ón dteoiric,

é ar crochadh as an dá thairne
i ndáiríribh, a chuid féitheog uile
uiríslithe ag meáchan a choirp
fir anuas go hordóga a chos.

Thógfá ceann ar maidin den tslí
go bhfuil na soilse aníos ag breith air,
ag cruthú scáile ar chaon taobh de:
ard seang, ar clé; ar dheis,

fé mar a bheadh tuairgín beag
ramhar agus ualach aige á iompar.
Nuair a bhís-se fhéin ar crochadh,
a chara liom, nuair ba bhás pras

trócaireach t'aonghuí tamall,
cén chumhacht a dhein tú 'iompar tríd,
cad a choimeád do dhuineatacht
ó aimliú, marab é an dóchas

ar deireadh gurb é duais
gach ainniseora dá Chríostúla
is gach Íosa dá ainnise
an maithiúnas, an t-aiséirí?

Na h*Outsiders*

Aifreann an Aiséirí
ar an gCarraig.
An sáipéal gan

áibhéal ag cur
thar maoil amach
trí's na doirse

tríd an bpóirse.
Lasmuigh sa cheobhrán
cogar mogar ch'leachta

na hoíche aréir.
I measc na mbreac-
chreidmheach dom

ar chlaí idir dhá shaol
n'fheadar ciacu
an giorra cabhair Dé

ná an doras,
nó, an giorra an doras
ná cabhair Dé?

Fear

Cad tá sé a dhó inniu,
ár gcomharsa amuigh?
Fear an bhungaló bhig
is an ghairdín fhairsing
gur mó de chlós feirme é
ná gabháltas bruachbhailteach;
balcaire beag righin trí fichid
go mbíonn sean*suit* dorcha air
níos minicí ná a mhalairt
agus caipín Sheáin Pheats Team.
Chím laethanta ag siúl a phaiste é
a lámha ina phócaí
agus gimp an mhachnaimh air,
fear iomairí gan iomrá
i measc seanchéachtaí meirgeacha,
leantóirí ré eile,
conablaigh gluaisteán.
D'fhéadfadh gur Ros Cománach
nó Cabhánach é,
an saghas a gheofá
i ngrianghraf le Fr Browne,
fear a thug tamall i gCamden Town
ag bildeáil nó gur iompaigh
an taoide eacnamaíoch abhus?
Nó d'fhéadfadh gur sléibhteánach
Mantánach gur tháinig
na bruachbhailte aniar aduaidh air é,
gur chuir cos i dtaca i gcoinne
thairiscintí lucht forbartha.

An lá eile chonac bros adhmaid
is smionagar éigin aige á iompar

go dtína *chonflagration*
sa bhairille miotail.
Ach cad tá sé a dhó inniu?
maidin bhuí Fheabhra i mBré?

Marab é an ghearb agam fhéin é?

Bruscar

do Mildred Purwin

Bíonn laethanta ná cíonn tú ach bruscar,
saol fuíll na bpábhaillí,
iarsmaí ár n-éadóchais.

Ag siúl an cosán duit i dtreo an bhaile
drannann dríodar as an bhfál,
an drannadh san a dheineann corpán.

Bíonn laethanta ansan ná braitheann tú
ach mar a bheadh beola na spéire síoraí
timpeall ar iomlán an iomláin

is ag seasamh duit ag stad na mbus
is cuma dhuit an t-ainglín beag fionn
ina gúna céad Chomaoineach ag diúl

an bhraoin deiridh as canna Coke –
leathann a sciatháin chun ná cífidh éinne í
ag leagan an channa ar chéimeanna an tSlánaitheora Naofa.

Lon

Dúisíonn. Go duairc.
Tarraingíonn cuirtín.
Ligeann aer úr isteach
sa tseomra modartha.

An lon suairc,
dar thug an chraobh
ar bhinneas thar
éanlaith na cruinne

adhmhaidin eile,
clipire cleiteach inniu é.
Cuireann gás fén leite,
fliuchann citeal.

Ar ball seasann i
vrksasana i lochta an tí.
A b'in *feit do rind guip glanbuidi*
i gcrann na beithe?

vrksasana:
an suíomh 'crann' de chuid ióga

feit do rind guip glanbuidi (fead ó rinn goib ghlanbhuí):
as dán de chuid an 9ú haois, "Int en bec . . ."

Gavotte

Díle de ló is d'oíche
i Gennes-sur-Seiche.
Le seachtain is breis

sinn breacloirgneach
cois tine fé dhíon *gîte*.
I bhfeascar an lae léith

cnag ar dhoras gloine:
an coileach péacóige!
gormacha na meánmhara leis go heireaball siar amach,

donnbhuíonna Saháracha leis ar lasadh tríothu,
glasuainí earraigh
fáschoille leis ina sciatháin.

Deineann steipeanna beaga cliathánacha Briotánacha
agus é ag priocadh
ar ár leathphráta.

Biseach 2000

Tá an tseanbhliain imithe bán,
bliain go dtí le fíordhéanaí
a bhí ag foghlaim an bháis,
a cuid lúcháire
a cuid dóláis
a cuid arraingeacha fáis
a cuid uaillmhianta is
a cuid coimhlintí neamhchomhlíonta
á scagadh aici go lagfáiseach.

Is chuaigh an tseanbhliain bán.
D'fhág cathaoir, tinteán is teilifís ina diaidh
is chuaigh ag princeam le caoirigh Lugh a' Lá
is á bá féin i bhfiannaíocht Loch Deán
is ag imeacht le sleasa Chipiúir i sleamhnán
is ag bailiú biríní seaca fan na bport faoi scáil Dhioghais
is gach aon dilín ó deamhas aici fé ghealach lán.

Inniu aimsíonn sí a buille féinig
sa tsiúl di ar na cosáin,
a cuid buataisí breátha ag cogaint tríd an gcruashneachta
beag beann ar bhall séire is ar ghiolla,
a súil mar shúil mná óige ar mhargadh,
í ina máistreás ar an bhfuacht.

Oíche Chinn Bhliana,
liúnn a gile go caoin.
Seasaimid go súgach i bhfáinne fí:
a trí a dó a haon neamhní:
tá sí ina bunóc bhán arís.

Deasghnátha

Cúig mhí sa tigh dúinn,
brat nua ar na hurláir
dath úr ar na fallaí
ár gcuid pictiúirí crochta

is fós tá fuinneamh an líon tí
a bhí anseo romhainn ar fuaid an bhaill,
faoi mar a bheadh eochair againn
do sheandrár (na gcuimhní)
nach ann dó.

Tá seanchumha éigin
ar na cuirtíní móra dearga
a d'fhágadar ina ndiaidh

agus an crann cnó capaill ag bun an ghairdín
nár bearradh leis na cianta
tá a ghéaga míchumtha ag teacht idir sinn
agus mistéirí camhaoireacha Cheann Bhré.

Anocht, seomra ar sheomra,
tá ár dtigh nua á athghabháil againn:
croithimid uisce thobar Ghobnatan
ar fhallaí, fhuinneoga is ar thinteán

is féar cumhra na mBundúchasach againn ag dó,
a ghal mhilis ag líonadh is ag díbirt
is ag tabhairt bheith istigh dár *chi*

is seo cros Bhríde againn á crochadh
ar an bhfuinneog thiar thuaidh
i gcoinne shaigheada an díoltais.

Amárach beidh lia chugainn
chun an crann a bhearradh
is cá bhfios nach lia coirp
is anama chomh maith é
sa tslí go ndúiseoimid maidin éigin
(gan éinne sa tigh ach sinn fhéin)
is ár seomra codlata ar lasadh
le míorúilt chamhaoireach Cheann Bhré.

Inipi

Nuair a caillfear an Fear Rua deireanach
is nuair a bheidh cuimhne mo threibhe
ina miotas i measc na bhFear Geal
beidh mairbh dhofheicthe mo threibhe
fós ar snámh fan an chósta seo,
is nuair a bheidh sliocht bhur sleachta
ina n-aonar sa ghort, sa tsiopa,
ar an mbealach mór,
nó istigh i lár na fáschoille,
ní ina n-aonar a bheid.
Nuair a thitfidh tost na hoíche
ar bhur gcathracha is bhur sráidbhailte
is nuair is dóigh libh iad a bheith tréigthe
beidh siad ag preabadh leis na sluaite
'thug gean tráth, is a thugann gean fós,
don tír mhaorga seo.
Ní bheidh an Fear Geal ina aonar go deo.
Tugadh sé cothrom is ómós dom mhuintirse,
mar nach bhfuil na mairbh gan chumhacht.
'Marbh' ab ea a dúirt mé?
Níl aon bhás ann,
ach malairt domhain.[1]

Plásóg féir ar thaobh na fothana
istigh i lár shléibhte Chill Mhantáin
is anseo a thóg Carl Big Heart an both
de réir thraidisiún na nIndiach,
ocht ar fhichead de shlatanna saile
ina gcoirceog,
seithí buabhaill anuas orthu timpeall.

Bhí na clocha á ngoradh cheana i dtine adhmaid
nuair a bhaineamar an láthair amach.
Inipi,
nó, both lucht na gcloch beannaithe, a tugtaí air
i dteanga Rua-Indiach, tearmann sácrálta
chun domhan na spride a bhaint amach thar na haibhnte allais
le tionlacan droma agus cantaireachta.
Bhailigh deich nduine ar fhichead againn isteach ann ar ár nglúine
gur tugadh na chéad chlocha tine tríd an doras chugainn
ar bheanna buabhaill.
Is iad na clocha seo is sine dár sinsir.
Dúnadh an doras.
Pic.

Címis an fíor do so
Címis an fíor do so
Don saol so agam
Sibhse, a Sprideanna,
A chónaíonn i ngach ball
Címis an fíor do so
Don saol so agam[2]

Sosanna gearra idir na babhtaí tine.
Osclaíodh an doras is phléasc an solas isteach,
raghfá amach fén spéir néalach,
luífeá siar ar an bhféar
go mbraithfeá mar a bheadh uisce portaigh
ag sileadh asat isteach san ithir thais.

An Chruinne, is í is beatha dhom
Hozhoni, hozhoni[3]
A cosa sise mo chosa-sa
Hozhoni, hozhoni
A corp sise mo chorpsa
Hozhoni, hozhoni
A smaointe sise mo smaointese
Hozhoni, hozhoni
A teanga sise mo theangasa[4]

D'iarr Big Heart amhrán sean-nóis.
Dúradh 'A Spailpín, a Rún'
as measc na n-únfairtí,
as measc na ndeor
as measc na gcuimhní leonta.

A chlocha, a shinseara inár láthair
ag breo sa doircheacht,
cuirig díbh bhur
racht.

Wakan Tanka
A Mhistéir Mhór
Chugatsa is túisce a ghuímid
Go mairimid
Is a bhfuil de ghaolta againn.
Sin é ár nguí[5]

[1] Chief Seattle, 1854.

[2] Amhrán de chuid na Pawnee.

[3] Síocháin, áilleacht, cothromaíocht.

[4] Amhrán both allais de chuid na Najaho.

[5] Paidir a dúirt Big Heart.

Ar an mBlár Folamh

Ar an mblár folamh
mar ar leonadar a chéile
ní neosfadh an aimsir faic

pé cothromacan a dhéanfaidh
tá reoite ina glaic.

Tráth cróilíocht chroí
tá sé sioc

tá caide an éaga ar chruimh
is ar chrann

tá troscán trom na spéire
ag dubhú na mbeann

tá uachtar na sreabh imithe
ina lacht gan dath
gan ainm.

Ar an mblár folamh
tá nithe aimlithe
á gcur

boscaí a bhí ceangailte
i ribíní tráth
ina bpálás don bhfrancach

an saol ceithrechosach
ag leadhbadh fuílleach na gcnámh

ní hann do 'beidh' ná 'bíodh'
níl ann ach 'tá'

'tá' gan sos

curfá neamhaí
na mbás.

Níl slí do ghreann ná grást

ná crónán cat

ná don at beag áthasach
a leanann comhar

cnat ina rí
is an ríon ag foghlaim
an bhróin.

Níor leonadh d'aon ghnó é
ná cath

creimeadh ciúin

aghaidheanna fidil
anuas ar streill
an chur i gcéill

ar chúl an smididh
anáil an bhainne ghéir

ar chúl an cheana
dhá mheon á meilt
i muilte na nósmhaireachta.

Blár folamh a leonta.

Ón uair ná freagraíonn sí aon litir
agus nach bhfuil teacht uirthi ar an bhfón
triailim seo mar mhodh:

COLÚRPHOST

'Anna, a iníon liom,
an cuimhin leat an tráthnóna samhraidh,
tú ar thairseach na ndéag is na caoincheannairce,
ag snámh dúinn i gCloichear in Iarthar Dhuibhneach
gur thugais orm tú a thionlacan chuig pluais
thoir ar an dtaobh eile den dtráigh?
Inár bhfionnachtaithe ar thóir na rún
seo linn trasna na lagthrá
amach thar na cuairteoirí lae
ab fhaide soir.

Poll na gColúr a ainm áitiúil.
Haló, colúr, colúr!
Na macallaí ag baint stangtha as an dtost fionnuar.

Ní haon chú-áil a chualamar as na scailpeanna dorcha
ach nuair a d'éisteamar ar ár ngogaide le hómós
nár scaoil an phluais a rún linn?

Táim ag cuimhneamh inniu ort,
ar an bhfolús silteach atá eadrainn le dhá bhliain,
cloisim ár macallaí fonóideacha sa tost fionnuar
is chím arís an díomá id shúile nuair a thosnaigh
Poll na gColúr ag caoineadh uisce a chinn.

Táim á cheangal seo de chois colúir.
Táim á scaoileadh chugat ar an ngaoith aneas
le súil go n-aimseoidh sé tú.

Braithim gur aimsigh cheana, a rún.

Cárta ó Mhemphis

do mo mhac, Joe

Gan choinne tá's agam cén áit le rudaí a chur
agus tá ar mo chumas rudaí a luacháil
dá réir. Foirm éilimh cánach:
le sá láithreach sa chomhad *le déanamh*
i gcomhluadar na rudaí go léir
nár deineadh fós is na rudaí ná déanfar go deo;
nó an nóta fé dheabhadh a deir:
'Cuir *shout* orm nuair a gheobhaidh tú seo'
le greamú den lampa deisce go mbeidh
mo mhachnamh déanta agam ar cad déarfad
más fiú faic a rá in aon chor.

Ansan tagann cárta poist uaitse, a Joe,
ó Mhemphis Tennessee, gan haló ná slán air,
ach véarsa d'amhrán a thosnaíonn leis na línte:
'Now everything's a little upside-down,
As a matter of fact the wheels have stopped.'

Tugaim do chárta timpeall liom
ar feadh cúpla lá i bpóca uachtair mo chasóige
go dtiocfaidh an t-am ceart len é a ghreamú
de phictiúr den bheirt againn,
tusa id bhunóc lasairshúileach
fáiscithe fé lámha fathachúla do Dhaid.

Tá's agam, leis, go ndearúdfad
gan choinne arís cá dtéann rudaí
is caithfead ar mo dheasc iad idir an dá linn
go bhfásfaidh ina mburla gan chríoch,
nó go dtiocfaidh an lá go n-iompód an *lot*
tóin thar cheann de racht,
go gcuirfear na rothaí stalctha ag athchasadh.

Turas

idir mé is tú
míle cnámh seanchaí á gcneá ag tíogar álainn
míle Walkman gan chluas
míle Swatch gan aghaidh
míle bodhrán gan chroiceann
míle Corr ar leathphraghas
míle Roadwatch Babe
    á gcreimeadh ag défhoghair ghéinmhodhnaithe
míle de Valera is a nGaeltacht féin acu
míle Ronan Keating in aibídí Shéathrúin Chéitinn
míle mainicín ar E ag smearadh fuil a gcroí
    ar fhísfhalla teilifíseán digiteach
míle feithideolaí ar thóir feithid-ar-líne ár linne
míle Atlantach Guinness á n-urlacan anuas ar
mhíle rinceoir Riverdance
míle comhartha bóthair ag scaoileadh urchar le
míle logainm
míle camán stáin
míle sliotar siúcra
míle urlabhraí oifigiúil thar ceann
míle cúis
míle cros gan asal
míle port gan seinm
míle píobaire gan uillinn
míle timpeallán craosach ag sú an tráchta chucu
    isteach go leac na bpian
míle leoraí bruscair ag leathadh a gcuid stuif
    ar fuaid na dúthaí
míle ollmhargadh olagónach lán de chónraí fármaidhce
míle pleidhce ina saoithe suite ar shreangán deilgneach
míle lia ag sluaisteáil piollaí suain isteach
    in otharcharr critheaglach
míle bó mhire ag déanamh váls na bualtraí

míle iriseoir d'ord na míthrócaire ag cogaint
    a gcuid fón póca
míle próca cóla
míle seangán sean-nósach i sclaig stáit
míle áit gan ainm

Sínte Fada

Is iad na rudaí beaga
a chuireann na tairní i mbeo:

fada bradach 'Motá',
ag tiomáint aniar duit
trí lár na hÉireann,
é ag saighdeadh anuas go dísbeagúil
mar a bheadh fiarshúil sa bhfathach
Cheansú Tráchta,

an gcuireann sé ag cáiseamh tú
fé thruailliú idéil an Stáit?

An gcuireann sé ag cáiseamh tú
fé mháistrí polaitiúla an lae inniu,
An Teashock, An Tawnishta
is Na Tocktee Dawla uile sa Dawl,
idir Feena Gale is Feena Fawl
is na scuainí cuntasóirí craosfhiaclacha
á leanúint ó hock go tock
ag déanamh gaisce as rátaí fáis
is an Lewis?

An gcuireann sé arraing ghéar
trí lár do chléibhe go bhfuil
Ronald MacDonald ina Rí ar Bhré?
É ina chónaí i gcaisleán
i mbarr na príomhshráide
mar a mbíodh an *Town Hall*
tráth. Nuair a tháinig
Bertie ar cuairt
i ngeansaí Man U
bhí na bratacha trídhathacha
ar foluain timpeall

ar na Siopaí Puint
is bronnadh *Extra Large Fries*
orainn ar phraghas *Medium*.

Gan trácht ar dhaoine a deir *'Cheers!'*
is *'Oh My God!'*
is 'Ag caint leis an tAire'
is 'Tá an cheist á bplé'
is 'Cad a bhfuil sé?'
is 'An rud gur féidir a dhéanamh.'
is *'I was like . . . !'*
ag cur aghaidheanna orthu fhéin?
Is daoine a chuireann an bhéim
ar *'so'.*
Is daoine a chuireann béim
ar aidiachtaí sealbhacha,
nach n-aithneodh iarmhír threise
dá mbuailfeadh sa leiceann iad.
Cloisim tú á rá: 'Sin é **a** bhfadhb!'

Gan trácht ar dhaoine a fhiafraíonn díot
ar an traein cén jab atá agat
is deireann tú: 'File Gaeilge,
and before you tell me
that you're basically in favour
but it was beaten into you in school
I want to say that I'm allergic
to people like you!'

Gan trácht ar an gcóras nua
Cheansú Tráchta atá i bhfeidhm
thíos sa Bhanc, tabhair
'scuainecheansú' air,
Sky News is tú ag feitheamh
chun do sheicín a lóisteáil,
caithfidh tú féachaint ar

shráidbhailte ocracha na hAfganastáine
á mbuamáil is ar straois Tony Blair,
ceansaitheoir an tsaoil Arabaigh,
mar shiorc ag creimeadh a shlí amach
as burca.

Ó, 'a' sin Mhóta.
Guta gearr gan beann ar éinne
nó gur bháigh oifigeach stáit
síneadh fada ina cheann.

Ex-Monboy on Literary Theory

Dé dó nó nat'n leighc.
Dé heaz áil de reifrinsios fram de bucs dé weir tódh-ild tea ruíd.

But dé st'il céant spat de ulkavawn artuck stéarain abh't a de teilí
Eat fadhbh in de máirnin leighc Rosenstock's dátur.

Áil dé cean dú iz anal-aidhs de focain snó.

Meiriceánach sa Daingean

‘Bin there,
done that,
bought the Díseart.’

Deora do Mheiriceá

do Thomas Rain Crowe

deoir don deoraí caol
dubh a tháinig i dtír
fuair leaba na hoíche
cóiriú gan chaoile
d'éirigh ó thalamh
urlár
ar
urlár
shlog glan an domhan tiar
shlog glan an domhan toir
& d'at d'at **d'at**
.com

deoir don Rí 'chroith
a chromáin ag cur
cailíní fadsciortacha
sna trithí
nó gur phléasc
na burgers trína
ionathaR
amach

deoir do Bhanríon na finne
na gile
na gcuar
*B*andia an scáileáin mhóir
leannán na n-uachtarán
'leáigh isteach sa tsíoraíocht
i gceo
*p*iollaí

deoir do UNCLE SAM
d'éalaigh as Rehab
d'ól a raibh de Jack Daniels
i Mr Bojangles
núiceáil an tSeapáin
dhein duirling de Pyong Yang
chaith
ceathanna
neapam
ar Vítneam

bhuam
bhuam
bhuamáil
an Iar**á**ic
an I**ú**gslaiv
an Afganast**á**in

deoir do Coca Cola
'chuir a lámh ghréiseach
i bpóca tóna
ár Levi's á rá
DietCoke*Siree*
gan ann ach uisce &
aspartame

deoir do Heinz & do Nike
trádálaithe trasdomhanda
'bhéic freedom os ard
i gcogar bhéic saint

& a dheoraí na ndeor
a dheartháir
ag ar fágadh
rogha an dá dhíogha
loscadh
nó léimt

as urlár 22
léimeann

t
ú

fiolar gan eite

a
g

t
i
t
i

m

go talamh •*Zero*

em . . . TV

do Chathal Ó Searcaigh

1
Dhein teilifíseán dá cheann.

Chun é fhéin a chur air nó as
dhein barr a choincín a bhrú
lena ordóg.

Bhunaigh dhá mhór-rannóg
ann fhéin,
An Rannóg Inchraolta,
An Rannóg Neamh-inchraolta.

An imní ba mhó a bhí air
ó lá go lá
ná go dtitfeadh na figiúirí féachana
nó go gcraolfaí rud éigin neamh-inchraolta
is go séidfí an fheadóg ghéar san

a chuireann deireadh le cluichí.

2
Ag an gcruinniú seachtainiúil
bhuail an t-eagarthóir a dhorn ar an mbord
is dúirt go rabhthas ag gearán
go raibh an clár éirithe leamh:
an iomarca urlabhraithe thar ceann
scéimeanna oideachasúla pobail,
an iomarca daoine go raibh solas
aimsithe ina saol acu.
An iomarca seaigin solais!
Cá raibh an faobhar,
cá raibh fuil an scannail?
'Máistreás Easpaig *tells all,*

seachas rúnaí Chumann Seanchais
Bhóthar na bhFál.
Mná foréigneacha.
Sagairt thrasghléasta.'
'Tá tuairisc léite agam faoi shagart,'
arsa an taighdeoir nua,
'a fuarthas i leithreas poiblí,
gléasta in aibíd mhná rialta,
é ar a ghlúine,
ag caoineadh.'

'Jasus! Brilliant!
An bhfuil Gaeilge aige?'

3
Bhíothas ag cur painéil le chéile
do *Ceist Agam Ort.*
Ar na ceisteanna a bhí le plé
bhí ginmhilleadh, foréigean,
cuairt Bhanríon Shasana
ar Éirinn. Theastaigh
an saghas duine a bhíonn ar son rudaí,
an saghas a bhíonn i gcoinne rudaí,
theastaigh bean,
theastaigh *agent provocateur*.
'Tá's agamsa duine a dhéanfadh
an t-iomlán in éineacht,' arsa bligeard.

4
Oifig na dTeastas Beireatais.
Stathann tú uimhir as an meaisín
suíonn tú síos
osclaíonn tú *Hello*.
Laistigh den chuntar in airde
go ceannasach
Sky News Rupert Murdoch.

'Faighim pardún agat, a bhean mhaith,
ach diúltaím suí anseo agus cac
mar sin os mo chomhair
is mé ag déanamh mo ghnó
mar shaoránach in oifig stáit
i dtír neamhspleách fhlaithiúnta.'

Leagann sí a lámh go pras ar an gcnaipire
is cuireann go TG4 é . . . *Western!*

5
Theastaigh uaithi bheith ina réalt
ó aois na hóige
ó fuair sí páirt Mhuire
i ndráma na Nollag.

Anois tá páirt aici i sobaldráma
ach ní mhothaíonn sí
gur réalt í

ar nós Liz Hurley
nó Britney
nó Posh.

Ní bítear ag fiafraí di
an lena fear céile an leanbh
atá á iompar aici.

Tá's aici gurb ea.
Ach ní bítear á fhiafraí.

Uaireanta b'fhearr léi nárbh ea.
B'fhearr léi gur baba beag dubh
a saolófaí di,
go mbeadh an scéal ag an *Sunday Indo*
go mbeadh na *paparazzi*

á síorthóraíocht
ó thrá go trá
féachaint an ndéanann sí
a gabhal a bhearradh.

Taibhríodh di oíche
de gheit
go raibh a hinchinn á spré
ar fud shuíochán cúil a *limo* . . .

. . . billiún réaltbhliain
ón gcruinne
tá sí ina fíor-réalt
ar deireadh,

réalt gur milis léi
a beo

is nach lúide a scéimh
nach bhfeicfear
a loinnir
go deo.

Briocht

do Phroinsias Mac Aonghusa

Brisid fá scige go scigeamhail buíon ghruagach
is foireann de bhruinnealaibh sioscaithe dlaoi-chuachach;
i ngeimhealaibh geimheal mé cuirid gan puinn suaimhnis,
's mo bhruinneal ar broinnibh ag broinnire broinnstuacach.
Aogán Ó Rathaille

do
gach
broinnire
broinnstuacach
i mbraighdeanas na mbréag

a
g

s
e
o

á
r

n
g
a

don
mbriatharchath

Quiz

Mo chara an t-ainéistéisí
atá curtha fé ghlas agam san íoslach
tá sí ag scríobadh ó mhaidin lena hingní fada géara
ar an tsíleáil thíos fúm is ag scréachaigh: 'Tóg é seo, ciúnóidh sé tú!'
Sin é an chiall gur bhrúas síos an staighre beag i ndiaidh a cinn ar dtúis í
tar éis di mé a fhiach ó sheomra go seomra
ag iarraidh biorán a shá im leathmhás.

Mo chara an buamadóir
atá curtha fé ghlas agam sa lochta
dhein an biorán an bheart uirthi ar feadh tamaill.
Ach bhí orm ceangal na gcúig chaol a chur ansan uirthi
toisc a ceann a bheith á phlabadh aici i gcoinne na binne is bhí na comharsain
ag gearán. Inné bhí sí ar a slí soir chun an chósta chun buama míle tonna
a chur fé East Coast Radio. Jeaib bheag den ainéistéiseach
ina ceathrúin a chuir a plean ó rath.

Mo chara an síocanailísí
atá curtha fé ghlas agam sa phroibí
tar éis dó a cheann a chur síos i bpoll an leithris
d'fhonn anailís a dhéanamh ar m'fho-chomhfhios, tá gach aon sconna
sa tseomra beag curtha ar siúl aige. Tharla mionphléasc
ó chianaibh i bhfiúsbhosca an halla is tá urlár
na cistine fé ocht n-orlaí uisce.
Tá sé ag bladaráil rud éigin
i dtaobh Freud.

Mo chara anama
mo chomhairleoir spioradálta
atá curtha fé ghlas agam sa seid amuigh
tá sé éirithe as an bhfuarchaoineadh le tamall.
Ní foláir nó tá a mhachnamh á dhéanamh aige. Tháinig ar cuairt
chugam inné mar is gnáthach chun luganna laganna léaspairtí ár saoil araon
a ríomh. Ach dúrt leis: 'Féach, le bheith macánta

táim ag fáil bréan den teoiricíocht. An féidir
linn an *cliché* a chur i leataoibh
agus bonn éigin daonna
a chur fénár gcaidreamh?' Ba léir gur scanraigh san é
mar tháinig na manaí móra is na nathanna beaga
uaidh ina slaoda gan staonadh gur chaill
a chiall is a cheann ar deireadh
ar chuma neach Bheckett.

Mo chara an t-antraipeolaí mór le rá
atá curtha fé ghlas agam sa chófra fén staighre
bhí sí ag siúl síos is aníos lasmuigh den dtigh ag béicigh isteach i meigeafón:
'Caithfidh na filí óga filleadh ar an dúchas,' ar sí. 'Cén dúchas?
Do dhúchas-sa?' a d'fhiafraíos-sa gan faic a rá fé 'filí óga'.
'AN DÚCHAS,' ar sise, faghairt ina súile is faid
á baint aici as an AN. Ansan thosnaigh
ag tógaint tornapaí beaga bána
as a mála is á gcaitheamh
le doras an tí.

Ag seasamh dom ar bhord na cistine
scagaim go fuarchúiseach na roghanna os mo chomhair.
A haon: an biorán.
A dó: an buama.
A trí: an tsíocanailís.
A ceathair: an dúchas.
A cúig: na manaí is na nathanna.
A sé: an bord a iompó bun os cionn is dul a chodladh.

An bhfuil cead agam glaoch ar chara?

An Magairlín Meidhreach

do Mildred Purwin agus Michael Longley

> *O I say these are not the parts and poems of the body only,*
> *but the soul,*
> *O I say now these are the soul!*
>
> Walt Whitman

File Ultach, a thuigeann an gnó,
mhol dom féachaint sa treo eile
go dtéaltódh na véarsaí aníos orm.

Lá geimhridh i lár an Mheithimh
ag féachaint dom an fhuinneog amach
ar bhlár glas na spéire,
tagann im láthair an Magairlín Meidhreach
ard cromcheannach a análann corcair éigin
Sheapánach ar fuaid do sheomra leapan.

Agus mé ar cuairt an lá cheana
dúraís go raibh do chuimhne ag teipeadh.
'Have you read I Sing the Body Electric?
It's wonderful,' tú ag coisíocht
i bhfráma siúil go dtí an leabhragán
sa chúinne chun breith ar *Lifelines:*
'Whitman! My favourite, how could I have forgotten?'

'You know, life doesn't mean anything, really,'
arsa tú, lá eile. *'Living does.'*
Meiriceánach mná i lár na n-ochtóidí,
thuigfeása an gnó
is tú ag bogadh amach do chromáin nua
mar a bhogfá amach péire bróg.
Pé brí atá le hóige, a mhachnaíos dom fhéin,
tuigim bheith óg.

Seo im láthair an Magairlín Meidhreach,
an rinceoir Seapánach a rinceann do sholas
anois ar fuaid mo sheomrasa,
ag ardú a chuid bláth go buacach
is ag cromadh a chinn tamall
faoi ualach na gcruatan.

T'fhear céile, d'eachtraís dom,
an t-ealaíontóir mídhílis,
thuigis dó, mhaithis dó
cé gur thrua leat a chuid bréag.
Sheasais leis go héag ar mhaithe leis an dteaghlach
is nuair a bhí 'fhios agat é bheith ag luí le baintreach
'sí a phiansan ba mhó ba chás leat, dúraís,
féinshéanadh bheith mídhílis,
is ea, leis, an díoltas.

Féachaint sa treo eile feasta,
Michael Longley, Mildred Purwin,
sin é an cleas,
ligean don rinceoir Seapánach
teacht aniar aduaidh orainn,
nó anoir, nó aneas.

Dán Duitse

Bhí halla na scoile i nDún Léire, Co. Lú,
lán de dhaltaí cúigiú bliana, idirbhliana
agus daltaí go m'fhearr leo
bheith sáite in MTV.

Tar éis uair an chloig des na gnáthdheasghnátha
chun a n-aird a choimeád, ceist ó chailín:
'Má tá tú ag scríobh dán anocht
cad a bheadh sé faoi?'

'Ó, rud éigin a tharla i rith an lae,
is dócha. B'fhéidir go scríobhfainn
dán . . . duitse,' arsa mise.
Is do phléasc an halla sna trithí.

Gloine

Lá glanta na bhfuinneog,
eisean ar dhréimire amuigh,
ise istigh.

Ní admhóidís é ach táid ag iomaíocht.
Eisean nach bhfacthas sciúrthóir chomh sciúrúil leis
ó tháinig ann do Windolene.
Ise nach bhfacthas sciomarthóir chomh sciomar-oilte léi
ó tháinig ann do ghloine.

Peirspeictíocht ar fad é.
Ceist fócais.
Chíonn sé ise tríd an bpána is, i bhfaiteadh na súl,
tá sé ag féachaint air fhéin.

Díríonn a mhéar ar phaiste laistigh gur chuaigh sise thairis.
Díríonn sise a méar ar smearadh lasmuigh mar chúiteamh.

Maidin éigin osclófar na cuirtíní agus an ghrian
ag glacadh ceannais ar chúl an tí,
gach aon mhionghráinnín
gach aon mhioncháithnín
dúisithe ina gcith macra-nithe
ar snámh aníos,

is ansan amháin a chífear cén teist a bheidh ar na focail
non smear.

Mac Glúine

Tá sé tréis scrolladh tríd an saol,
fé mar gur Mac glúine an saol,
gan bacaint le lámhleabhar
ná cúrsa oiliúna.

Bhí sé orthu siúd tráth a chreid go diongbhálta
gur *fad* sealadach a bheadh sna ríomhairí.
An peaca ba mheasa leis
ná bheith PC!

Inniu 'sé a shaol ar fad é a Mhac glúine:
peann tobair gan taoscadh, fear poist
gan staonadh, ciclipéid,
gníomhaire ticéid.

Ach fós ní thuigeann é.
Is b'fhéidir go maithfeá dhó a ghoilliúnacht
i sochaí seo an chúl-le-cine nuair a ghearánann Victoria
as an Mac amach i Ríomhairis bhriotach

tar éis dó *spell check* a chliceáil,
gan chuimhneamh,
ar dhán Gaeilge.

Tan Ann

time's a strange fellow
more he gives than takes
and he takes all
e e cummings

1

Thugadh a sheanmháthair dosaen
Time ó Stoke-on-Trent léi
go hÉirinn ar saoire
mar bholgam suain istoíche.
Coimeádtaí in airde ar an tseilf
ab airde sa chúlchistin iad,
mar chógas leighis, dúradh.
Is cuimhin leis an tslí cháiréiseach
a dheineadh sí an buidéal a oscailt
agus an lacht sobalach
a dhoirteadh síos taobh na gloine
chun ceann a chur air.
D'éalaigh sé isteach i lár na hoíche
chun an dríodar draíochta
a bhí fágtha i dtóin na gloine
a bhlaiseadh ar bharra méire.
Níor fhág an sceitimín ghéar
a theanga ó shin.
Time, a mhistéir,
Time, a úill ar chraobh,
Time, a shíol ón imigéin.

2

Pórtar dubh dána a bhíodh ages na fearaibh.
Ar bhainis dó, bliain *Blue Suede Shoes*,
bhí na fir ábalta ar é 'chaitheamh siar.
Brúcht beag agus ansan an croiméal uachtair a ghlanadh
ar chúl láimhe, thug údarás agus inchreidteacht
do ráiteas. Is lucht na leathghloiní, b'in iad na

Humphrey Bogarts. B'fhearr d'fhear an Tanora
bheith i measc na mban lena gcuid seirí, seaindí
is tae. Níorbh aon fhear óil a athair ar a shon san,
fear dhá phiúnt nó trí nó dá raghadh thairis sin
bheadh a cheann síos sa leithreas aige feadh na hoíche.
'Do you see what I mean?' a deireadh a mháthair.

3
Ag freastal dó ar Choláiste na Mumhan
a d'ól a chéad bhuidéal pínt
is níor mhilis leis é
is é ag scaoileadh arís leis
poll an leithris síos i dteannta a dhinnéir.
'Ól do dhóthain bainne roimh ré,'
arsa dalta sinsearach.
'Leis an mbainne a chloífead feasta,'
ar seisean leis fhéin.

> *Bainne na mbó is na ngamhna*
> *The juice of the barley for me*
> The Clancy Bros

4
Bliain *Rubber Soul,*
cailín freastail i siopa Fleming's
a thug cuireadh dhó fhéin is na leads
go cóisir ina tigh *Council*
laistiar de Dhún Uí Choileáin.
Bhí gunnaí móra chun tosaigh uirthi seo
agus nós aici lán an dá bhairille
a thabhairt uaithi gan iarraidh.
Sin í a líon is a d'athlíon a ghloine
le leann úll Triple Vintage an oíche sin
sa tslí gur chleacht an chéad chlaochló
pearsantachta san,
an chéad mheisce mheidhir,
fonn barróg a bhreith ar gach éinne máguaird

idir ghunna beag is ghunna mór,
fonn léine na cúthaileachta a chaitheamh de go buan
is gunnaí a chuid féiniúlachta a scaoileadh,
fonn rince suas falla ard an Dúna
ag eitilt abhaile dhó fé spéir ghlé sheaca.

I once had a girl
Or should I say
She once had me
The Beatles

5

Sa Mhainistir Thuaidh
gheofá muga súip *oxtail*
lán de chnapáin
ag am sosa ar maidin
dá mbeifeá ar fhoireann an Artaigh.
Ar eagla slaghdáin,
dar leis an mBráthair Ó Beacháin,
nós a chuaigh siar go haimsir Jack Lynch
ré órga iomána an 'Mhon'.
Bhí sé ina lántaca lá an áir
i gcoinne Scoil na mBráithre, Durlas Éile
i gCill na Mallach, an uair an chloig is measa
a bhí ag an 'Mon' riamh,
leathdhosaen de bháirí i gcúl na heangaí
gan trócaire ag nia le Jimmy Doyle.
Chuadar ag ól.
Oiread buidéal Carling Black Label
is a thógfadh a sciúch.
É ag gabháil 'An Spailpín Fánach' os ard
nuair a ghaibh an tUachtarán isteach:
'Mo náire thú,' arsa an Bráthair,
'ag tarraingt droch-chlú ar an scoil.'
'Fuck you!'
B'in bata is bóthar as an 'Mon'.

First you take a drink
then the drink takes a drink
then the drink takes you
F. Scott Fitzgerald

6
Geimhreadh an phoitín,
ar fionraí.
Na buidéil a thugadh a athair leis abhaile don bhfliú
bhaineadh braonacha maithe astu
is d'athlíonadh le huisce.
A léine shícidéalach.
A chéad tóc den stuif glas.
A chéad chomhrá leis an striapach ramhar sa West Cork Bar,
bean Sweet Afton is Gin go raibh a cuid *nylons* ite ag dréimirí.
A chéad bhlaiseadh scanrúil de ghrá na lánaí.
Ealaíontóir mar alcólach óg
ag siúl Pana fé cheo Celebration.

Is Corca Dhuibhne, a pharthas óil.
Pórtar ramhar stairiúil Daniel Keane.
Pórt Kruger. Seiteanna an Bhóthair.
Ina phrionsa ar phláinéad eile.
An teanga ag teacht gan stad gan staonadh
ina rabharta rua Smithwicks.
Athshaolú spioradálta idir Casadh na Gráige
agus Casadh na Cille.
Ar Thráigh an Bhéil Bháin fé ghealach lán
tambóirín ar thóir seana-bhuille éigin ghaelaigh.

Far past the frozen leaves
The haunted frightened trees
Out to the windy beach
Far from the twisted reach
Of crazy sorrow
Bob Dylan

7

Nach é a bhí feidhmiúil!
Bhí an fhoirmle fíorshimplí:
obair agus ól, ól agus obair.
Blianta Bhleá Cliath a dó
Blianta Bhleá Cliath ag dó a gheirbe
i Sinnott's Shráid an Rí Theas,
Toner's Shráid Bhagóid
is O'Donoghue's an cheoil.
Maidin ag tiomáint chun oibre
le hais na canálach síos
bhí aicíd shearbh bhuí aníos as
trí fhuinneog an ghluaisteáin
is b'fhada leis fós am oscailte na bpálás
go raghadh i láthair a Ríona
chun ribe leighis.
Ó, ribí an fhaoisimh ag spallaíocht
leis an spalladh síoraí.
Lig liú ládasach
leis an saol ag siúl thar bráid,
aimsigh an cúinne is dorcha sa tigh
is comhairigh óna haon
go náid.

Deoch roimh thart
deoch i ndiaidh tarta
deoch in aghaidh tarta

8

Chinn sé éirí as,
dul ar saoire go dtí Teinirif,
a chréachta a ligean amach fén ngrian,
d'ólfadh *sangria* go stuama,
crúiscíní móra dhó agus torthaí ar snámh ar a bharr.
'Mheasas go rabhais éirithe as?'
'Táim.'

Cabhair ní ghairfead
go gcuirthear mé i gcruinnchomhrainn –
dar an leabhar dá ngairinn
níor ghaire-de an ní dhomh-sa
Aogán Ó Rathaille

9
Geimhreadh an tsneachtaigh mhóir.
Calóga míorúilteacha úra
ag lonnú ina shrón

stail bhán slómó
i ndomhan íonghlanta
as am
ag sodar
ar éigean
gan ann ach
ann

I started out on Burgundy
But soon hit the harder stuff
Everybody said they'd stand behind me
When the game got rough
But the joke was on me
There was nobody even there to bluff
Bob Dylan

10
I lár na hoíche, bréagchéadfa:
aiseag á ghlanadh de rós.

Ar maidin fionn ar shúil.

Bodhaire an ghalair gan náire
fuarchaoineadh an tsaoil
fuarallas síoraí
fuarphórtar mar dhallóg
is sleamhnán sneachta go Tír na nÓg
Nollaig an chroí reoite:

'fuar agam, fuar agat,
fuar againn.'

11

Níl tuile ná tránn ach tuile na ngrást

Bhí sé á bhá.
Tóin poill.
Grinneall fiabhrasach.
Rudaí ag at.
Rudaí ag imeacht ina lacht.
Gan cumas snámha.
Gan cumas luí.
Gan cumas éirí.
'Tan ann: *Time,*
a ghrinnill ár ngrá.
Tugaim isteach.'

An braon scoir,
buidéal fíona i Sráid Fhearchair.
Shiúil na céimeanna briste aníos.
D'aimsigh seomra téarnaimh.
D'fhoghlaim comhaireamh
óna haon go dtí a haon:
staonadh ó
aon bhraon,
aon lá amháin sa turas.

12

Spiritus contra spiritum
Carl Jung

A chló an tan dhearc sé, lá,
thit an fionn dá shúil.

52 Focal Comhairle don Ábhar File

i gcead do Bhud Cary

Fan lúsáltha
Fair ar sheilmidí
Cuir plandaí neamhdhóchúla sa ghairdín
Tabhair cuireadh do sheandaoine chun tae
Coinnigh do chuid compost chugat fhéin
Greamaigh greamáin ANOIS MÁS EA! ar fuaid an tí
Bí mór leis an duifean
Bí mór le feithidí
Bí mór leis an mbáisteach nuair a shaighdeann
Bí mór leis an mífhoighne
Creid do chuid taibhrithe
Creid do chuid deor
Creid gile dhoshrianta do mheoin
Creid do chumas doshrianta chun bróin
Lig liúnna leathanaigeantacha leis an ngealaigh
Maith a bhfuil le maitheamh
Dein néala beaga ag léamhanna filíochta
Joineáil grúpa Rap
Joineáil grúpa meiditéisin
Scaoil leis an véarsa a rabhthas ag súil riamh leis uait
Scaoil leis na pinginí is leanfaidh siad go deireadh do shaoil tú
Dein gáire mínáireach i measc cairde
Dein gáire leat féin sa tsráid
Dein gáire ciúin trócaireach in eaglaisí
Bí buíoch as naimhde
Ná bí buartha faoi mháchailí foughreektah
Ná bí buartha faoi bhotúin ckó
Snámh sa bhfarraige má tá fonn ort
Snámh sa bhfarraige mara bhfuil
Dein gach soicind sícidéalach a dhearbhú
Bíodh péintéirí osréalacha ar an bhfón chugat
Ná tabhair níos mó ná deich neomat i dtábhairne in aon lá amháin
Seachain gaothairí

Seachain buinneacháin
Seachain aon phlé i dtaobh staid na teangan
Seachain fichillíní fileata
Seachain cleiteacháin liteartha
Cosain do chuid muinchillí ar spriúchálaithe
Cosain do shamhlaíocht ar an institiúid
Cosain do chuid creidimh ar chnádairí
Cothaigh fiastalacht
Cothaigh feascarthacht
Cothaigh mochéirí
Léigh dánta díreacha sa leithreas ar do shlí chun na Seapáine
Oscail amach nuair is cuí
Tum isteach
Bí mar ataoi
Fiafraitheach mar ghliomach
Seol téacsanna fó thoinn chun do ghrá
Bí ar fáil nuair a tharlaíonn an suaitheadh eacaineachtúil
Idir teanga intinn is croí
Féach ar an gcaighdeán mar chárta creidmheasa
Féach ar an gcriól mar chash
Iompaigh gach ar múineadh riamh duit
Droim ar ais

Nuacht

Dícheall dom bheith liom inniu
is an slua ionam ag siúl
i ngach treo.

Dícheall dom an greann
is an domhan mar amhrán
le Leonard Cohen.

Dícheall dom an bhean
a bháigh a cúigear clainne
a chur as mo cheann.

Póga

An phóg a thug sí dó is í ag imeacht,
a beola le gloine an chithfholcadáin,
níor dhein sí an bheart.

Ar ball seolann sí téacs chuige
ar an bhfón póca,
'póg cheart.'

Íomhá

Mealltar a shúil ón ríomhaire

trí dhoras ar leathadh
trí gha gréine bharr an staighre
trí cheo an tseomra folctha

trí choill chnó i soiscéal solais ar crith:

fia fionn féithláidir fé chith.

Rud

a thuigfeadh crann portaigh
bard aille
ceann de locha dearmadta Chonamara.

Nó an té 'thabharfadh fé Cheann Sléibhe siar
féachaint an raibh na hoileáin ann.

An rabhadar ann?

Saghas Hadhcú

Scamaill in airde,
tréad eilifintí
bána.

Seanchnámha

Chím trí fhuinneog dín
mínchnámha crainn
mar lámha seanmhná.

Gealtacht

Gealach chomh lán suas
di fhéin níor bheannaigh d'éinne
riamh;

Seán na gcnocán is na n-ísleán
ina lár istigh lena gháire
geilte.

I mBuaile Mhaodhóg táid éirithe
amach ó mhorc de thine
ghuail

ag oighearshiúl ar leathluas
cúpla céim shiocite ó
2002

dhá neach aolnite
fite i bhfuacht
inite.

Stad an domhan ó chianaibh.
Féach, ní féidir
titim.

Rianta

do Mhoira

Leathstocaí buanscartha a chaitheamh amach,
mar aon le dráranna pollta, smidiú cruaite,
mugaí gan chluasa. Na cactais a phacáil
is a phléasáil go fíorchúramach.

Is gan faic a chur anuas ar an ríomhaire glúine.
An Vardús . . . i ndiaidh a thóna?
Ná scríob! . . . i ndiaidh a chinn?
No, mar seo: suas; aniar; trasna . . . & . . . síos.

Leabhair sheilpe ansin, leabhair thagartha anseo.
An tocht ar a chliathán.
An teilifíseán leathanscáileánach,
na vásanna, na mairbh fhrámaithe,

na tamhanrudaí, a sheasadh do rud éigin tráth,
ar thaobh amháin, is ar an dtaobh eile,
na háilleagáin intreacha fé thuáillí,
ina gcroíthe sobhriste. Slán.

Fágaimid inár ndiaidh a dtugaimid linn:
rianta ár n-iarrachtaí lámhacáin
ar staighre an ghrá, rianta ár mbuataisí
i measc na n*dafs* fén gcrann cnó capaill,

rianta lámha na gréine buanghreanta
ar chláracha na n-urlár, rianta do lámhasa
mná amanta an ghátair, lámha a dhein tigh
solais riamh den tigh seo nuair a dhorchaigh an lá.